Ines Lalouche

e homard | la crevette | le crabe | la langouste

es vagues | les bateaux | les mouettes | les poissons

'ancre | le quai | le bateau | le phare

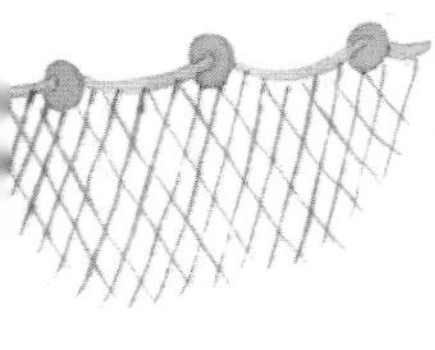

le filet |  les poissons | les marins | les caisses

Jouons : Fais des phrases en utilisant ces mots.

ISBN: 2-7625-8205-9
Imprimé en Belgique

au bord de la mer

texte d'Annie Pimont

images de Marie-Anne Didierjean

les vagues

les bateaux

les mouettes

les poissons

la mer

La est calme, les

sont bercés par les .

Ils naviguent paisiblement.

Dans le ciel, les crient.

Parfois, elles vont attraper des

dans la . Quand il y

a une tempête, les

peuvent faire chavirer les .

un baigneur un parasol un ballon un château de sable

la plage 

C'est l'été, les enfants s'amusent

sur la . Ils sont heureux.

Ils peuvent jouer au , faire

des et creuser des tunnels.

Assise sous un , maman

se repose. Elle regarde les 

qui sautent dans les vagues.

L'hiver, la  est déserte.

les algues
des coquillages
un crabe
une étoile de me

les rochers

C'est amusant de marcher dans

les quand la mer se retire.

On peut ramasser des

en soulevant les . Entre

les , il y a des flaques d'eau.

On y trouve parfois des .

Attention, sous les , il y

a des petits , ils pincent !

le homard
la crevette
le crabe
la langoust

les crustacés

Dans la mer, il y a des crustacés.

Le est le plus amusant,

il avance sur le côté. Il a des

pinces, mais le en a de

plus grosses encore. La

ressemble à une géante.

Les , les , les

et les ont une carapace.

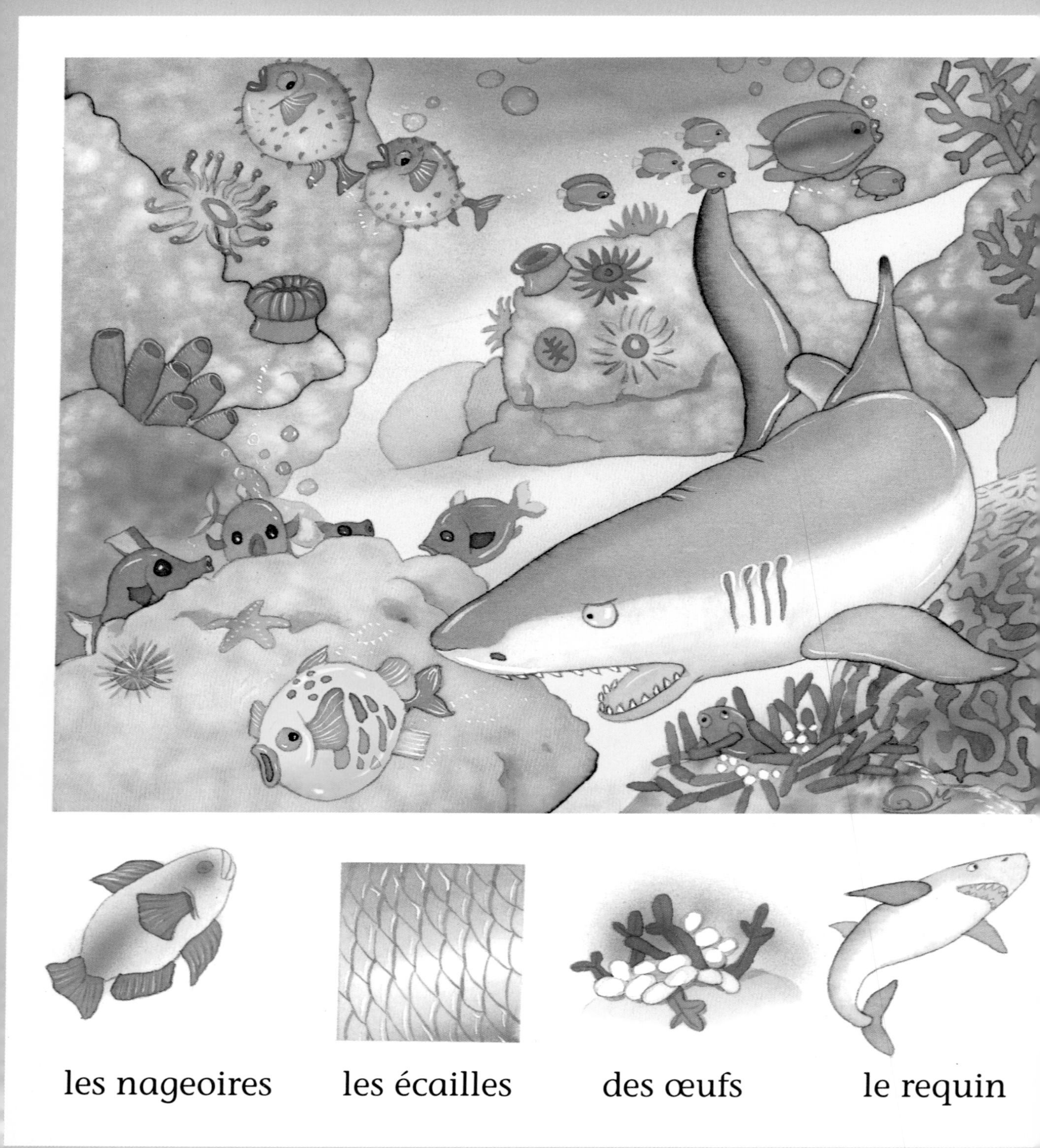
les nageoires
les écailles
des œufs
le requin

les poissons 

 Les  se déplacent en remuant leurs  . Ils ont le corps entièrement couvert d' 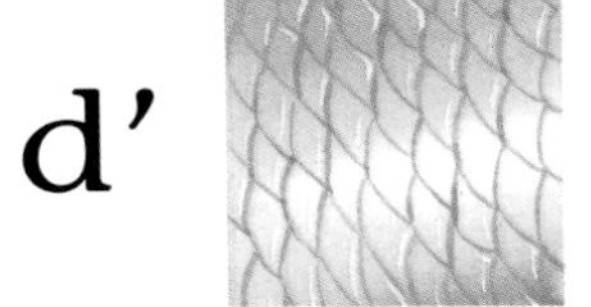 . Dans la mer, il y  a des  de toutes sortes, mais ils se cachent tous quand le féroce  passe.

 Les pondent des .

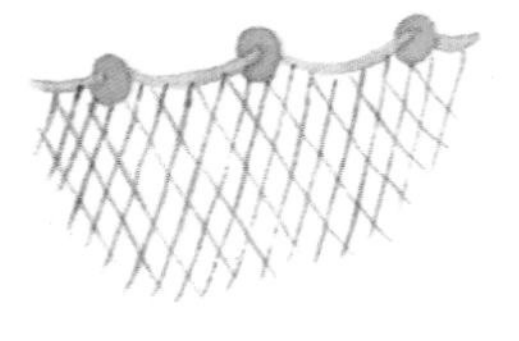

le filet

les poissons

les marins

les caisses

le chalutier 

Le  est un bateau de pêche. Il traîne un grand appelé chalut pour pêcher les .

Quand le 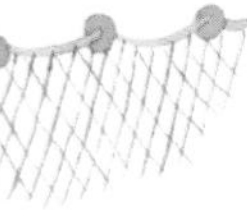 est plein, les le remontent. Ils mettent les  dans les .

Le soir, le  rentre au port.

Les marins déchargent les .

l'ancre
le quai
le bateau
le phare

le port

Il y a beaucoup de dans le . Ils ont jeté l' au fond de l'eau et ils sont bien amarrés le long du  .

La pêche terminée, les marins déchargent le . La nuit, le  guide les et leur signale l'entrée du .

des palmes
un masque
des bouteilles
une combinais

le plongeur

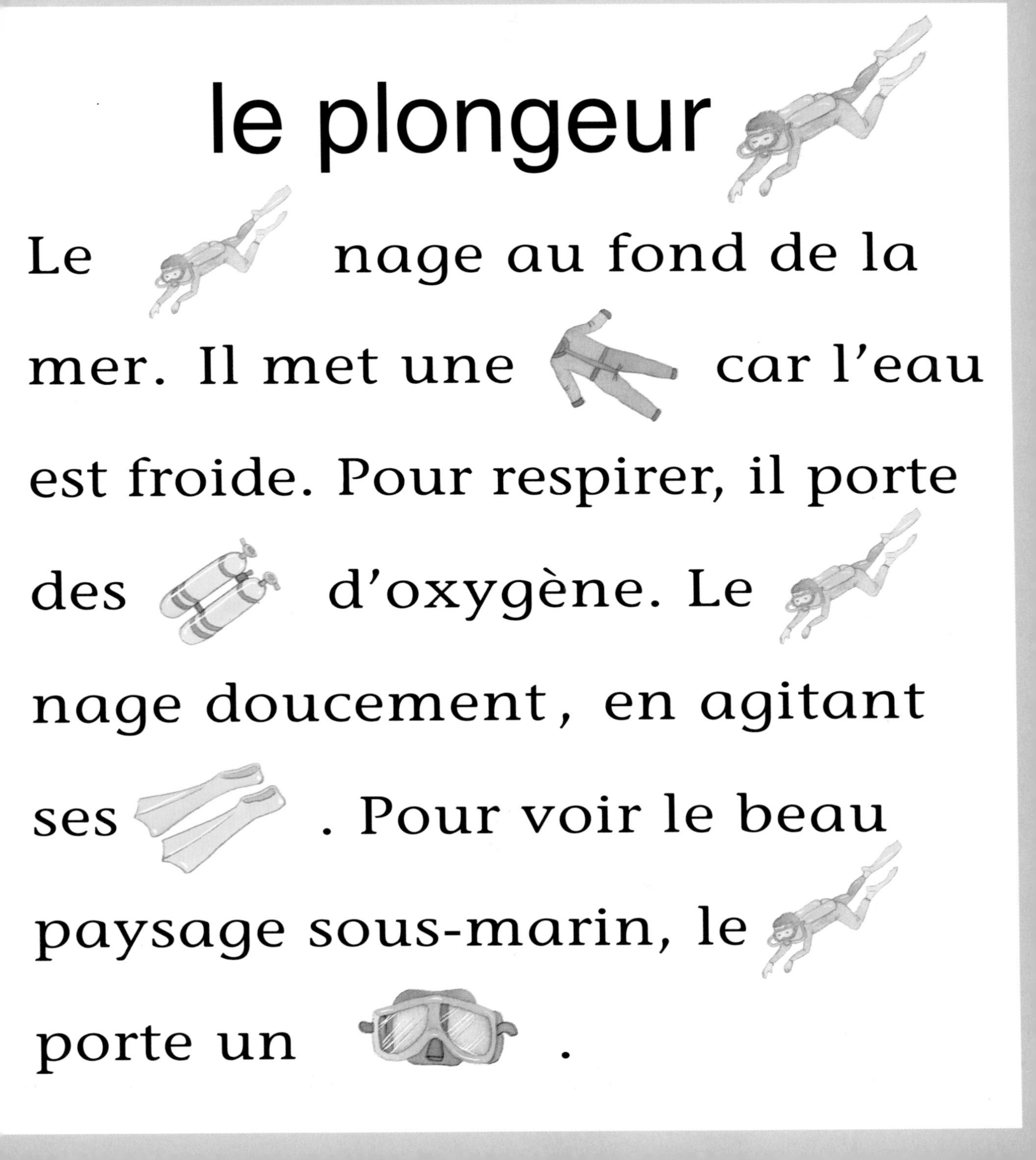

Le nage au fond de la mer. Il met une car l'eau est froide. Pour respirer, il porte des d'oxygène. Le nage doucement, en agitant ses . Pour voir le beau paysage sous-marin, le porte un .

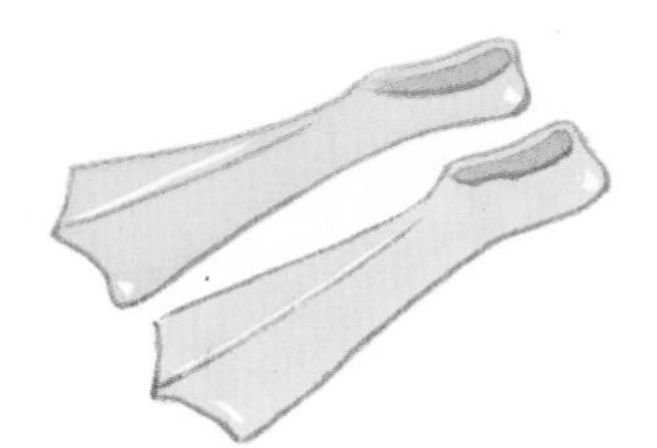

des palmes

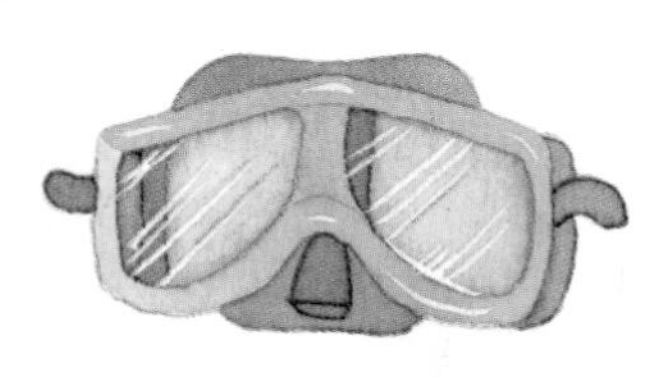

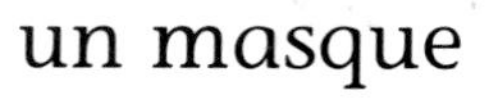

un masque

des bouteilles

une combinaiso

un baigneur

un parasol

un ballon

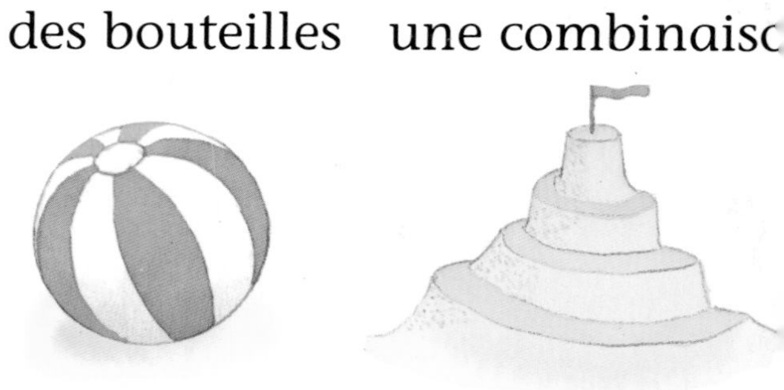

un château de sab

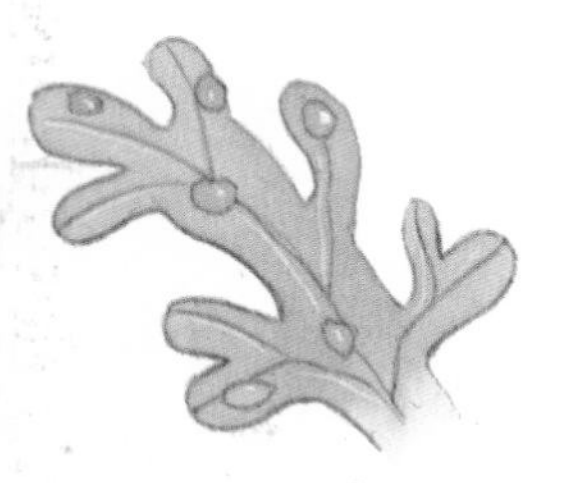

les algues

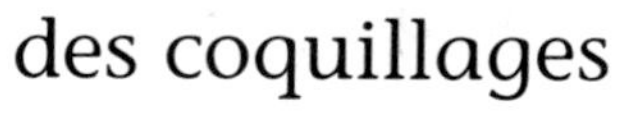

des coquillages

un crabe

une étoile de me

les nageoires

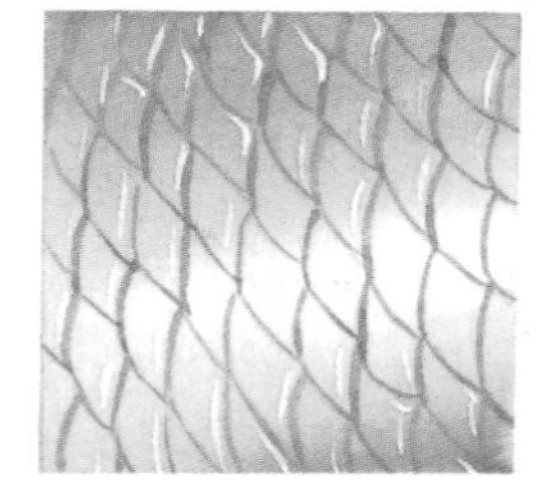

les écailles

des œufs

le requin